Débutants Usborne
Chenilles et papillons

Stephanie Turnbull

Maquette : Nelupa Hussain

Illustrations : Rosanne Guille et Uwe Mayer
Expert-conseil : Michael Crosse

Pour l'édition française :
Traduction : Lorraine Beurton-Sharp
Rédaction : Renée Chaspoul
et Anna Sánchez

Sommaire

3 Des insectes étonnants

4 Les œufs

6 L'éclosion

8 Combien de pattes ?

10 L'autodéfense

12 Des insectes voraces

14 Le début de la mue

16 Un nouveau corps

18 De fleur en fleur

20 Le papillon de nuit

22 La nourriture

24 Le camouflage

26 Attention, danger !

28 Petits et grands

30 Vocabulaire de papillon

31 Sites Web

32 Index

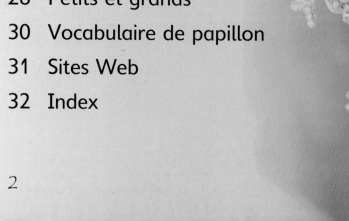

Des insectes étonnants

Les papillons sont des insectes
aux ailes magnifiques. Ils
volent. À la naissance,
ce sont des chenilles.

Voici un paon de jour.
Les taches sur ses ailes
ressemblent à celles
qui ornent la queue
d'un paon.

Les œufs

Les papillons pondent des œufs sur les feuilles et les tiges des plantes.

Les œufs ne tombent pas, car ils sont collants.

Certaines femelles pondent plus d'un millier d'œufs en quelques semaines seulement.

Beaucoup d'œufs ont une
enveloppe dure et rugueuse.

Une chenille grossit à l'intérieur de chaque œuf.
Elle est prête à sortir en quelques jours.

Les œufs pondus ont différentes formes.

Certains ont
la forme d'une
perle ronde.

D'autres œufs
sont longs et
fins...

ou pendent
comme des
perles enfilées.

L'éclosion

La chenille perce un trou dans l'œuf et se tortille pour sortir.

Voici une chenille de la piéride du chou qui sort d'un œuf. On aperçoit d'autres chenilles minuscules, encore dans leur œuf.

La chenille mange
d'abord la coque de
l'œuf, le chorion. Cela
lui donne de l'énergie.

Toujours affamée, elle
mange la feuille où se
trouvait l'œuf.

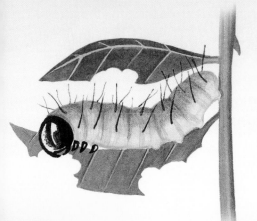

Puis elle se déplace
pour dévorer les autres
feuilles de la plante.

Les chenilles ont des mandibules efficaces. Elles
grignotent une feuille en quelques secondes.

Combien de pattes ?

Les chenilles ont seize pattes.

Voici la chenille
du paon de nuit.

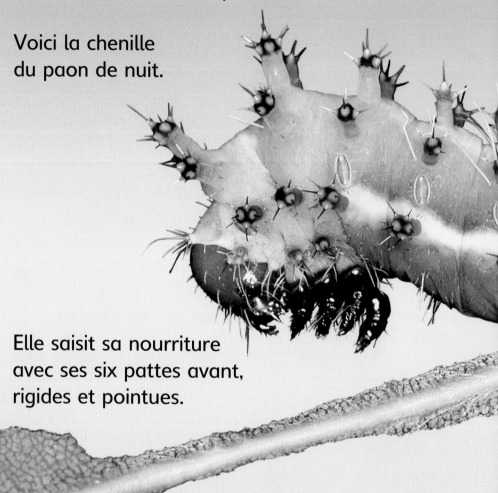

Elle saisit sa nourriture
avec ses six pattes avant,
rigides et pointues.

Les autres pattes, les fausses pattes,
plus épaisses et munies de ventouses, lui
permettent de s'accrocher aux plantes.

Les chenilles arpenteuses
se déplacent en formant
de grands arcs.

Elles étirent la
partie avant
de leur corps.

Puis, elles
relèvent
l'arrière...

et le posent
près des
pattes avant.

L'autodéfense

Les oiseaux et les insectes aiment manger
des chenilles. Beaucoup de chenilles ont
sur le corps des dessins qui les aident
à passer inaperçues.

Cette chenille de
géomètre ressemble
vraiment à une branche.

Certaines chenilles dégagent une mauvaise odeur
pour éloigner les autres animaux.

De nombreuses chenilles essaient d'avoir un air redoutable pour effrayer leurs prédateurs.

La chenille de la grande queue fourchue se dresse pour paraître menaçante.

Certaines se nourrissent de plantes toxiques.

Ainsi, les oiseaux ne les apprécient pas.

Des insectes voraces

Les chenilles mangent sans arrêt. Elles cherchent des plantes qu'elles aiment et les dévorent entièrement.

Voici des chenilles de la piéride du chou. Elles n'aiment manger que des feuilles de chou.

La chenille grossit tellement que sa peau devient bientôt trop étroite et elle se fend.

La chenille s'en débarrasse. Dessous, elle a une peau neuve et extensible.

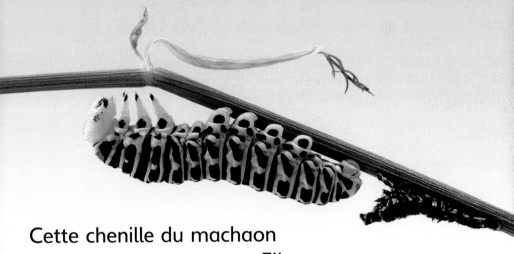

Cette chenille du machaon a une peau toute neuve. Elle laisse la vieille derrière elle.

La plupart des chenilles changent quatre fois de peau. Chaque fois, les dessins deviennent plus intéressants.

Le début de la mue

Un jour, la chenille est prête à se tranformer en papillon.

1. La chenille cherche d'abord un endroit sûr et abrité.

2. Elle se suspend tête en bas, grâce à des crochets sur son corps.

3. Sa peau éclate une fois de plus et libère une nouvelle peau.

4. La peau durcit de plus en plus, jusqu'à ressembler à un étui.

Cet étui dur
s'appelle une
chrysalide.

La chrysalide
reste accrochée,
immobile, plusieurs
semaines. À l'intérieur,
un papillon se forme.

Certaines chenilles se cachent dans une feuille
enroulée avant de se transformer en chrysalide.

Un nouveau corps

Quand le papillon est entièrement formé, il est prêt à sortir de sa chrysalide.

On aperçoit les ailes d'un papillon à l'intérieur de cette chrysalide.

Très lentement, le papillon sort de sa chrysalide.

Ensuite, il se repose. Ses ailes sont pâles, humides et froissées.

Les papillons doivent faire sécher leurs ailes avant de pouvoir voler.

Ce monarque doit attendre quelques heures que ses ailes se déploient et soient plus fermes.

Les papillons ne grossissent pas après leur naissance. Ils gardent la même taille toute leur vie.

De fleur en fleur

Les papillons diurnes volent toute
la journée. Ils ne s'arrêtent
jamais très longtemps.

Tous les papillons ont
quatre grandes ailes.

En vol, les quatre ailes battent ensemble.

Les ailes sont couvertes
d'écailles minuscules, visibles
au microscope.

Écailles

Certains papillons
battent des ailes
soixante-dix fois
par seconde.

Le papillon de nuit

Le papillon de nuit ressemble beaucoup au papillon de jour, sans être tout à fait pareil.

Ce paon de nuit a des ailes plus petites et plus étroites qu'un papillon diurne.

Les sphynx crépusculaires volent beaucoup plus vite qu'on ne court !

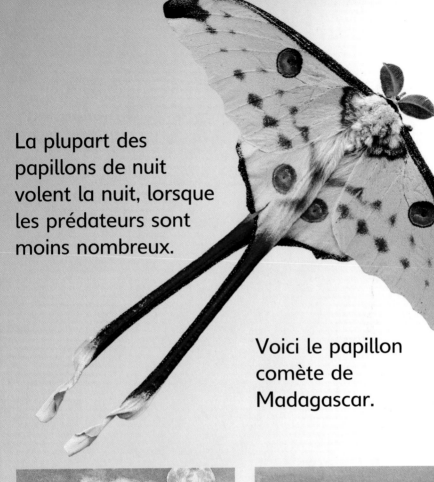

La plupart des papillons de nuit volent la nuit, lorsque les prédateurs sont moins nombreux.

Voici le papillon comète de Madagascar.

Le papillon de nuit a un corps épais et velu qui le protège des nuits froides.

Grâce à ses antennes plumeuses, il détecte les objets dans l'obscurité.

La nourriture

Les papillons diurnes et de nuit se nourrissent du nectar des fruits et des fleurs. À la place de la bouche, ils ont un tube long et fin, la trompe.

Ils aspirent comme avec une paille.

Le papillon vampire d'Asie perce la peau des animaux pour sucer leur sang.

Le papillon garde sa
trompe enroulée.

Il la déploie pour
aspirer le nectar.

Quand les papillons ont soif, ils aspirent souvent
quelques gouttelettes d'eau sur le sol humide.

Le camouflage

Beaucoup d'animaux aiment manger des papillons. Certains papillons ont des dessins qui les aident à se cacher.

Lorsque ce papillon feuille est au repos, ses ennemis le prennent pour une simple feuille.

Certains papillons ont des ailes transparentes qui les rendent difficiles à voir.

Ce thècle de la ronce se voit facilement lorsqu'il vole.

Mais au repos, il passe inaperçu car le dessous de ses ailes est vert.

L'aurore ressemble aux fleurs qu'elle butine.

Attention, danger !

Certains papillons sont toxiques ; ils n'ont pas besoin de se cacher de leurs ennemis.

Les marques vives de ce papillon avertissent les prédateurs qu'il n'est pas bon.

Quelques papillons ont sur leurs ailes des grosses taches comme des yeux, qui leur donnent un air effrayant.

Ces deux papillons paraissent toxiques aux
animaux, mais celui de gauche est inoffensif.
Il copie les dessins du papillon toxique.

Ce papillon de nuit a un corps épais et des petites
ailes. Les prédateurs le prennent pour une abeille
et le laissent tranquille.

Petits et grands

Il existe des papillons diurnes et des papillons de nuit de formes et de tailles très variées.

L'Atlas est le plus grand papillon de nuit du monde. Chacune de ses ailes est plus large qu'une page de ce livre.

 Le plus petit papillon diurne est le papillon nain bleu. Voici sa taille réelle.

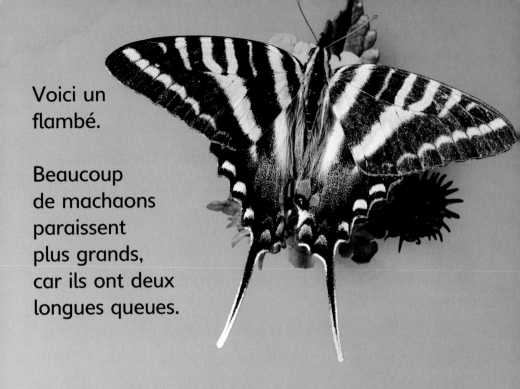

Voici un
flambé.

Beaucoup
de machaons
paraissent
plus grands,
car ils ont deux
longues queues.

Cela les aide à se protéger de leurs ennemis.

Souvent, les oiseaux
happent les queues
au lieu du corps du
papillon.

Le papillon peut
fuir. Perdre un bout
de son aile ne lui
fait pas mal.

Vocabulaire de papillon

Voici la liste de quelques-uns des mots utilisés dans ce livre, avec leur définition. Peut-être ne les connais-tu pas.

 Ventouse : coussinet adhésif sur chaque fausse patte de la chenille lui permettant de s'agripper aux plantes.

 Chrysalide : étui dur qui se forme autour de la chenille à sa transformation en papillon.

 Écailles : plaques minuscules qui couvrent les ailes du papillon.

 Papillon de nuit : insecte qui ressemble au papillon de jour et qui vole le soir ou la nuit.

 Antennes : tiges sensibles aux odeurs et aux bruits, situées sur la tête du papillon.

 Trompe : long tube avec lequel le papillon aspire le nectar.

 Toxique : qui est dangereux à manger. Certains papillons sont toxiques.

Sites Web

Si tu as un ordinateur, tu peux chercher sur Internet d'autres informations concernant la vie des chenilles et des papillons. Voici quelques sites auxquels tu peux te connecter :

Site 1 : Le développement de l'œuf au papillon, avec de superbes photos des différents stades.

Site 2 : Amuse-toi à fabriquer un beau mobile de papillons pour décorer ta chambre ou pour offrir.

Site 3 : Si les papillons t'intéressent, tu peux lire ici d'autres généralités les concernant.

Site 4 : Veux-tu attirer des papillons dans ton jardin ? Voici quelques règles simples à suivre pour y parvenir.

Pour te connecter à ces sites, va sur **www.usborne-quicklinks.com/fr**, clique sur le titre du livre, puis sur le lien du site Web qui t'intéresse. Avant de commencer à utiliser Internet, lis les conseils de sécurité donnés à la fin du livre et demande à un adulte de les consulter avec toi.

Index

ailes 3, 16, 17, 18-19, 20, 29
antennes 21, 30
aspirer 22-23
camouflage 10, 24-25
chenilles 3, 5, 6-7, 8-9, 10-11,
   12-13, 14-15
   toxiques 11
chorion 7
chrysalide 14-15, 16, 30
dessins sur les ailes 3, 24-
   25, 26-27
écailles 19, 30
éclosion 6-7

nourriture 7, 8, 12
œufs 4-5, 6-7
papillons 3, 4, 15, 16-17,
   18-19, 22-23, 24-25,
   26-27, 28-29
   de nuit 20-21, 22, 27,
   28, 30
   toxiques 26-27, 30
pattes 8-9
peau 13, 14
trompe 22-23, 30
ventouses 8, 30
voler 18-19, 21

Remerciements

Rédactrice en chef : Fiona Watt, Directrice de la maquette : Mary Cartwright
Manipulation photo : Emma Julings et John Russell
Remerciements à Michelle Lawrence

Crédit photographique

Les éditeurs remercient les personnes et organismes suivants pour l'autorisation de reproduire leurs documents : © **Alamy** : 18-19, 31 (Gay Bumgarner). © **Ardea** : 2-3 (Jack M. Bailey), 15, 20 (John Mason), 27 (Alan Weaving), 29 (Elizabeth S. Burgess). © **Corbis** : Couverture (Gary W. Carter), 4 (Michael et Patricia Fodgen), 25 (Laura Sivell ; Papilio), 26 (George D. Lepp). © **FLPA/Minden Pictures** : 12 (Ray Bird), 16 (S., D. et K. Maslowski), 21 (Frans Lanting, 28m (C. Mullen). © **Getty Images** : 1(Gail Shumway), 8-9 (David Maitland). © **Oxford Scientific Films** : 5 (David M. Dennis), 6, 10 (David M. Dennis). © **Science Photo Library** : 11, 19 (Claude Nuridsany et Marie Perennou). © **James F. Snyder** : 28b. © **Still Pictures** : 24 (Luiz C. Marigo). © **Warren Photographic** : 13, 17, 22, 23 (Kim Taylor).

Tous les efforts ont été faits pour retrouver et remercier les propriétaires de copyright. L'éditeur s'engage à rectifier toute omission éventuelle, s'il en est informé, dans toutes rééditions à venir.